시선집: 동네를 바라보는 시선

정재운 송은화 경희 민은숙 전익 김정화

엮은이 정재운

시선집: 동네를 바라보는 시선

발   행 | 2023년 11월 27일

저   자 | 정재운 송은화 경희 민은숙 전익 김정화

엮은이 | 정재운

펴낸이 | 한건희

펴낸곳 | 주식회사 부크크

출판사등록 | 2014.07.15.(제2014-16호)

주   소 | 서울특별시 금천구 가산디지털1로 119 SK트윈타워 A동 305호

전   화 | 1670-8316

이메일 | info@bookk.co.kr

ISBN | 979-11-410-5509-7

www.bookk.co.kr

시선집: 동네를 바라보는 시선

정재운 송은화 경희 민은숙 전익 김정화

엮은이 정재운

BOOKK

서문

날이 많이 추워졌습니다. 뜨거웠던 여름은 언제 그랬냐는 듯 자취를 감추고, 차가운 바람이 우리를 간지럽히기 시작했습니다. 문득 겨울로 새 단장하고 있는 동네를 바라보며 이번 시선집의 주제를 〈동네〉로 정해보면 어떨까 생각해보게 되었습니다. 동네라는 주제에 관심과 사랑을 주신 많은 시인님들께 감사의 말씀을 전합니다.

이번 시선집을 준비하는 과정에서도 역시나 소중한 분들의 세상을 해치지 않고자 특별한 형식이나 정해진 분량을 제안하지 않았습니다.

이번에도 이 시선집에게 소중한 시간을 내어주신 독자 여러분들께, 부디 제 소중한 인연들의 시선에 비친 세상이 선물되기를 간절히 바랍니다.

2023년 11월,
엮은이 정재운

차례 _

첫 번째 시인, 정재운

Instagram: @writernreader_j

순간을 영원으로 간직하고자 시를 씁니다.

풋풋한 사랑의 기억과 일상의 기억을 영원으로 간직하고 싶었습니다. 그런 마음으로 사랑하는 사람과의 기억을 영원으로 담고자 애쓰고, 일상에서 가볍게 지나칠 수 있는 것들을 영원으로 담고자 애썼습니다. 부디 이 애씀이 누군가에게 소소한 위로와 작은 미소를 건넬 수 있기를, 그런 기적이 일어나기를 꿈꿔봅니다.

동네, 오늘의 색깔

회색과 노란색
갈색 위 어두운 초록색
연속되는 흰색

아스팔트에 수놓인
햇살의 안온한 색

내 이마를
간지럽히는
하늘의 색

나이를 타고 저 멀리

어린 시절의 동네는
소꿉친구들과의 기억으로
가득 물들어 있습니다.

평생의 우정을 기약하며
울고 웃던 우리들은
세월 앞에서 거리가 멀어졌습니다.

서로 다른 곳에서
일을 하고,
가정을 꾸리고,
각자의 삶을 그려갑니다.

나이를 타고 저 멀리

어린 시절의 동네는
떠나갔습니다.

추억이 되었습니다

한 동네에서 오래 컸습니다.
여섯 살에 처음 갔던 병원과 약국을
여전히 그때처럼 갑니다.

병원에 가면
의사 선생님은 제 이름을 부르며
여섯 살 당시의 저를 대하듯
한결같은 말들을 건네십니다.

약국에 가면
약사 선생님은 제 이름에 '씨'를 붙여 부르며
삼십 대인 저를 대하시고
이전과는 다른 말을 건네십니다.

그렇게 약사 선생님과의 제 어린 시절은
추억이 되었습니다.

추억은 그리움의 다른 말이 아닐까요.

겨울나기

몸도 마음도
예년 기온 밑도는 것 같은 올 겨울

시장 지나며
엄마손 꼬옥 잡고
양파 사던 어린 시절 생각 한 꼬집

놀이터 지나며
친구들과 하하호호
웃음꽃 만개하던 시절 생각 한 꼬집

문방구 지나며
천 원으로 한아름 과자 품고
설레었던 그때 그 시절 생각 한 꼬집

겨울나기

동네 구석구석
지난 생각 한 꼬집 한 꼬집
모으고 모아
따사로운 겨울나기

익숙함[1]

우연히 오랜 추억이 담긴
전에 살던 집을 지나쳤습니다
그새 그 집은
새로운 옷을 입고 있었습니다
24년의 익숙함이
어색함으로 돌아섭니다

집으로 돌아와
가족들을 바라보았습니다
32년의 익숙함이
오늘도 편안히 자리를 지킵니다

익숙함의 이명(異名)은
편안함이자
사랑이었나 봅니다

---

1) 정재운 외 9인, 『시선집: 가족을 바라보는 시선』, 16.

두 번째 시인, 송은화

Instagram: @eunhwas

긁적이기를 좋아하고 종이에 그냥 아무거나 쓰기를 즐깁니다. 요즘은 종이와 연필이 아니라 컴퓨터 키보드나 핸드폰을 더 많이 두드리며 소소한 일상의 공유를 낙으로 삼고 있습니다. 언어유희의 행복함을 함께 나누고자 합니다.

흐린 하늘

금방이라도 울음을 터뜨릴 것만 같은 표정으로
억지 웃음을 짓고 있는 구름의 모양이
잿빛하늘 구름에서 나오는 바람이 스산하게
몸을 휘감고 간다.
뉘일곳 없는 내 마음을 하늘에다 두고 싶으나
오늘의 하늘은 나를 되려 밀어내고 있다.
천천히 움직이는 구름따라 닿을 곳은
바쁜 내 삶의 끝일까..

공원벤치

벤치는 그대가 앉아주기를 기대하겠지

오늘도 하나둘, 벤치에 모이시는 할머니들
옹기종기 모여 오가는 사람들따라 바쁜 눈동자들
벤치의 그대일지, 아닐지,

슬며시 맞은편 벤치에 앉아본다.
길잃은 눈동자 둘곳없이 허공만 바라보는 나
벤치의 그대일지, 아닐지,

기대와 그대사이에 내가 있었네.

호계리

호계리 10번지
호원로 361-3
시골인 듯 아닌 듯
도시인 듯 아닌 듯
왼쪽은 아파트촌
오른쪽은 나락이 익어가는 마을

호계리 10번지

거실에서

8차선 도로를 지난다.
초록들이 스친다.
우뚝 솟은 아파트
우리 마을이다.

돌다리를 건넌다.
입으로 공격하는 하루살이들
노랗게 익어가는 나락들
우리 마을 옆 마을이다.

거실에서 시선따라 다른 풍경
그러나,
고개들면 같은 하늘이다.
푸른바다 빛이 파도치듯 밀려온다.

주도로 포장공사

판다. 돌아가시오.
아저씨들의 손짓이 바쁘다.

붓는다. 쾌쾌한 냄새에 절로 미간이 주름진다.
모두다 피해 돌아간다.

말린다. 돌아가시오.
아저씨들의 손짓은 다시 한 번 바쁘다.

말랐다. 새로 포장된 주도로
누군가의 수고로움으로 예뻐진 주도로.

세 번째 시인, 경희

Instagram: @mykanna9406

우리 자신에 대한 연민과 애련을 주제로 글을 쓰는 시인은 강원도에 있는 여러 동네의 모습과 이야기를 시 5편에 담았습니다. 지난 역사도, 지금의 모습도, 살아가는 사람들의 모습도 모두 다른 우리들의 동네, 그리고 조금씩 사라져가는 동네에 대한 아쉬움도 『시선집-동네』에 동봉했습니다. 기어코 당신 곁에 살아야 하는 우리 동네를 지켜 달라는 마음도 함께 보내요.

옹기마을 천주쟁이

우리 집안은 상놈의 집안
조선시대부터 이 산골에서 흙 파먹고 살아온 씨가리
옹기 빚어 읍내 장터에 내다 팔아먹고 살았던
상놈의 집안

우리 집안은 죄인의 핏줄
조상 때 죄 지어 홍천에 숨어들어온 족속
나랏님이 믿지 말라는 천주님 믿는
죄인의 핏줄

우리 집안은 천주쟁이
이 골짜기에 숨어들어 꾸역꾸역 죄 지으려
옹기마을에 하나둘씩 들어 와
여태껏 사는 천주쟁이 후손

우리 집안은
옹기마을 천주쟁이

명태 눈갈

얼린 명태 박스째 바닥에 내리갈겼는데
명태는 그대로 네모랗게 아무 일 없고

내 팔만 어깨에서 삐져나와 제멋대로 후덜덜
요망스런 명태,
배때기를 따려는데
칼집은 내 손바닥에 도랑만 굵게 만들어대고
얼어가는 손가락으로 쑤셔서
꺼낸 명태 내장은 핏기가 없는데
내 손바닥 도랑에만 갈라진 무좀마냥 피가 흐른다

주문진 작업장 바닥에 아가리만 벌리고 말없이 자빠져 있
는 명태

명태 눈갈에
먼 옛날 제가 살던 고향이 그리웠는지
멀리 가지 말라던 제 엄마가 보고팠는지
바알간 눈물이 고여 있다

해무(海霧)

간밤에 오징어배 돌보느라 하늘이 지친 틈을 타
읍내까지 들어온 해무

요즘따라 해변가에 놀러오지 않는 아해들을 찾다가
학교 아래 골목집에 들어가
마루에 한숨을 흘리며 두 다리 펴고

꼬꼬마들 그림타일이 붙은 이쁜 담장 아래
할미꽃은 여전한데
동네가게 간판이 카페라고 영어로 바뀌어
아침부터 길을 잃을 뻔해 헛웃음만

골목 앞 의자에 앉아있던 저 노인네가
그 옛날 꽥꽥거리며 인사했던 꼬꼬마인지 헷갈려
마루에 걸려있는 사진을 올려다보곤
왜 요즘은 해변에 안 나오냐 묻는 해무

거성초까지 올라가 보고 싶지만
햇살이 말리는 바람에 촉촉한 아쉬움만 남긴 채
거진앞바다로 돌아선다

나무가 마중을 나온다

시내버스 표지판도 없는 작은 동네, 작은 골
젤루 좁은 골목 젤루 오랜 나무, 우리집 나무

비 오는 날엔 우산 되고
밤 늦은 날엔 가로등 되고
심심할 땐 그네 되고

우리집 작은집 다 감싸더니
요즘은 죄다 떨어져 나가
꼬챙이 같은 몸매로
겨우 방 하나를 지키고 있다

내가 오면
그제야 마당을 나온다

나무가 마중을 나온다

차경이와 이순신장군

농사짓기 좋은 동네, 우리 동네
논미리로 시집와
잡곡밥 먹다가 이밥 먹어 행복했다던 할미도
어디로 가고

논두렁 밭두렁 사이에 통통한 메뚜기놈들
검은 봉다리 하나 가득도 잠깐
송장메뚜기 멀리 치우라기에
우리집 멀리 배추밭에 풀어 놓고
다음날 빗자루에 쫓겨
대문 앞에 홀쩍이며 아버지 퇴근시간 기다리던
은주도 읍내로 이사 가고

혼자 분교가 된 학교 마당에서
올 농사는 쌀 몇 가마니 나오겠냐고
애꿎게 방아깨비한테 묻던 차경이,
내년에 폐교가 되더라도
끝까지 우리 학교 지켜달라고 이순신 장군에게 부탁을 한다

네 번째 시인, 민은숙

Instagram: @writer_esmin

우주의 씨앗 하나란 존재가
지구별과 함께하며 시를 씁니다.
작고 소소한 활자의 힘이나마
누군가에게 공명이 전달된다면
참 좋겠습니다.

무심천

무심을 가장한 밤, 훑는
간지럼을 타는
만월이 발설한 벚꽃에서
걸어 나온 미소가
범람한 인파를 토닥인다
아장아장 나무를 걷는 참새
휘파람 부는 오토바이
윤슬을 훔치는 사이렌
어제와 화해하고 오늘과 동행하는
숨죽인 횡렬
꿈틀거리는 종렬이 몸을 뉘고
길섶에선 베토벤 교향곡 9번이 울려 퍼진다

감나무실에 가요

도시를 벗어난 초록한 언어가 둥지를 틀고 있는데요

세련된 옷을 입고서 넝마를 파는 마천루
비율을 자랑하는 소음들이
네온 사인을 흡입하고 OTT를 주유하는
도시의 밤
영상에 빛을 공여한 별이
꾸벅 졸고 있는데요

인공은 다다르지 못한 곳, 그곳에 가요

이른 아침을 끼고 오르면,

떼로 몰려다니며 아는 척하는 십대 딱새들
왔다, 왔어요

화사한 미색 자랑하며 반만 눈뜬 능소화
살 좀 빠졌어요

닳아버린 교복 엉덩일 미는 오솔길
가까이 더 다가와요

빗물에 치여 갈라진 언덕에선
무리하지 마요

호흡을 가담듬는 문장을 어루만지는 바람
얼굴 보니 좋아요

다시 동행하는 그곳엔 뚝배기가 살아요

농도 짙어지는 궤적
차곡차곡 쌓이는 노을 언어가
숲을 지킨대요

불구경

너도 나도 들어가

시도 때도 없이 울리는 경고음
요란한 사이렌 소리에
연이어 터지는 AI 처자의 아리따운 목소리

불을 광고하고 있어

백로야 오지 마라
그을음 묻어 까마귀로 오해 받을라

벌써 붉은 융단이 깔렸어
앞장선 가경천 야성미 물씬 나는 나무들
지구촌 안 가 본 데 없는 카사노바
하늘로 치솟는 갈바람이 휘슬 불고 있어

누구도 나오려 하지 않아

세상에 가장 재밌다는 불 구경
인증 남기고 통신망에 자랑하고
소화에는 관심 없는 사람들이 늘어나

내일은 불꽃이 절정에 다다른다고 합니다
서두르세요

직지대로에서

내가 살던 고향은
청풍명월 이름난 곳
맑은 물이 흐르는 나라의 허리입니다

꽃샘추위로 서늘한 목에
양지에서 미소 짓는 청초한 목련이
함께하는 나의 둥지입니다

괄괄한 햇볕이 성질부리는 여름이면
물보라 꽃을 피워내는
천진한 웃음이 만발합니다

엄동설한이 쳐들어온다 해도
뜨거운 불심으로 태우는
불경 소리와 목탁 소리가 사위를 밝힙니다

꿈에서도 수만 번 목 놓아 외치는 그리운 곳
청주 흥덕사
눈 감으면 더 찬란합니다

헤어질 결심

추적추적 새벽을 덮어버린
검은 울음이 아침마저 때리면
3박 4일 정제한 호흡이
다음을 기약할 순간

머지않아

낮달은 꿈속과 달라
배웅은 언제나 부정맥이야

엉킴과 설킴 사이에도 햇귀는 있어
스케치가 꽃을 틔운
하나는 모두
모두는 하나

조각난 물방울이 하나로
이제는 다시 흩어질
꽃잎이 날아갈 순간

다섯 번째 시인, 전익

Instagram: @momentik0

기분이 좋지 않은 날에는 일기 쓰듯이 시를 씁니다. 그러다 보면 이상하게 괜찮아지는 날들이 많습니다. 또, 가방 한켠에 시집 하나 넣어 다니면 별거 안 들어 있는 가방임에도 괜히 든든해집니다.

나의 정체성

태어난 도시가 그 사람의 정체성이
된다고 한다면

나는 분명 이도 저도 아닌 사람

그렇게 도시까지도 아니고
그렇게 시골까지도 아닌

여기저기 걸친 사람

그렇게 될 수도 있고
또 그렇게 안 될 수도 있는 사람

가을이 오는 소리

가을이 오는 소리
저마다 집집 마다 탁 타탁 탁
깨 터는 소리

햇볕 가장 잘 드는 마당에
반듯하게 말려 놓은

심고 줍고 터느라
굽은 허리 필 새가 없지만
자식들 기름 짜 줄 생각하니
주름진 얼굴도 맨질 해지네

자그마한 나의 세상

작은 나의 세계
한때는 내 전부였던 곳

하나의 모퉁이에서
다른 모퉁이로

500원만 있으면
뭐든 다 샀던
동네 입구에 있던 가게도

옆집에 살던 동갑내기
양갈래 머리 친구도

옛날의 가게가 떠오르고
옆집의 나무가 자라고

떠났을 때부터 다시
돌아올 수 없다는 걸 알았지

비가 와도 젖지 않는 동네

비가 와도 젖지 않는 동네가 있다

좁은 골목길에는 집들이 서로 가까워
비가 와도 젖지 않는다

떠나온 곳도 그 동네처럼
비가 와도 젖지 않을 줄 알았는데
검은 외투를 입은 사람들이
비에 젖지 않으려고 거리를 쏘아 다녔다

듬성 듬성 빌딩사이로
한번도 맞아본 적 없는 비를 피하려
나도 열심히 쏘아 다녔지

또 어떤 날은 비를 피하려고 해도
몰아쳐 그대로 맞고 있는데
맞아도 썩 나쁘지 않더라고

버스를 타고
비가 와도 젖지 않는 동네에
다시 데려가 달라고 했는데

기사가 그 마을은 이제
난 못 태워 준다고 했지

조령(鳥嶺)

나는 새도 넘기 힘들어 쉬어간다는 고개를
두 발로 걸었을 선비가 걷던 같은 길이었을까

저 바위가 저 나무가 저 하늘이
몇백 년 전 그가 보았을 같은 것 일까

봇짐에 싼 기대와 꿈
짚신 걸린 무거운 기대와 꿈

한양으로 올라가는 길과
집으로 돌아오는 길 중
그는 무엇이 더 무거웠을까

나는 매해 명절마다
집으로 돌아오는 길과
도시로 가는 길 중
무엇이 더 무거웠을까

여섯 번째 시인, 김정화

Instagram: @picturejjeong / @jjeonggg15

모든 이가 행복을 누릴 수 있는 삶을 꿈꿉니다.

어린 시절부터 시와 글을 좋아했고 유치한 많은 시들을 썼습니다. 자유와 행복을 사랑하고 모두를 행복으로 이끌고 싶은 낭만가. 제가 느낀 삶의 절망과 희망을 씁니다. 이번 시선집 동네 편에서는 제가 계절별로 바라보았던 동네의 추억을 담았습니다.

나는 무엇을 꽃피우려나(봄)

따사로운 햇빛 머금은 세상
어느새 이슬이 마른 풀 위에 누운 뾰족한 두 귀
볕 쬐며 꼭 감은 그 눈을 피해 멀찍이 돌아간다
가려다 돌아와서 그 평화로운 장면을
오래토록 눈에 담았다
진짜 내가 바라는 행복은 무엇일까
어떻게 평안해질 수 있을까

한적한 길에 하나 둘 피어나는 아름다움
곧 세상이 형형색색 풍성한 꽃길이 된다
이대로는 무엇도 꽃피울 수 없을 것 같은 나
이 싱그러움을 닮고 싶어 화려함을 배우고 싶어
나는 아직 내 안의 씨앗의 모양을 모르거든
아니 있는지조차 믿을 수 없어서 외로운 날이지

한껏 젖어도 괜찮을까(여름)

선풍기 앞에 누워 바라본 창문 밖 무더운 세상
연신 울어대는 매미소리가 세상의 모든 음악일 때
그 울음 사이로 흐르는 바람은
내 머릴 쓰다듬는 작은 멜로디
뜨거운 열정이 불타올라 재가 되지말라고
지지말라고 토닥토닥

왈칵 쏟아지는 빗줄기에 지붕 찾아 뛰어 들어간다
울음 뚝 그칠 때까지 기다리지 못하고
용감히 그 속에 풍덩 들어가 뛰노는 아이들
그치기만 묵묵히 기다리던 어른은
용감함을 잃어버린 것인지 걱정이 많아진 것인지
아이들의 모습을 지긋이 바라보았다

어느 계절에도 피는 꽃은 있지(가을)

흩날리는 낙엽을 향해 내민 작은 손바닥들
무슨 소원들을 품고 있기에 아이도 어른도
아늑한 모닥불을 지핀 듯한 붉은 하늘을
손 뻗어 올려다본다

동네에서 가장 큰 나무 밑동에서 사람들은
누군가를 기다리기도 누군가와 함께이기도 했다
밑동 가장 아래 닳아버린 손자국은
수없이 많은 무궁화를 피웠던 아이들의 흔적

이 계절에도 꽃들이 피어나고 열매가 열린다
모두가 피어날 시기가 같은 건 아니지
시간이 지나 더 탐스럽게 익어가는 열매는
씨앗이었을 때를 기억할까

세상은 차가워도 우리는 따뜻하길(겨울)

밤사이 하얀 옷으로 갈아입은 마을
창틀의 길고 하얀 백설기를 보고 뛰쳐나온다
처마 밑에 고드름
화단에 구르는 산수유
모든 것이 흥미로운 아이들은
입에서 나오는 서로의 구름을 보며 웃는다

나보다 더 오래오래 여기 머물러온 나무는
잎사귀 없이도 단단하고 굳건히 자리를 지키고

유난히도 맑은 밤하늘을 계단 위에서 올려다보면
같은 자리 별 하나가 늘 나와 함께였다

사실은 항상 내 옆에 있었다고
무너지고 싶을 때마다 기댈 수 있게
할 말이 많아질 때마다 올려다 볼 수 있게
항상 여전히 같은 자리라고
멀리서 울리는 종소리가 선명하게 들린다

내가 믿는 만큼 변화할 수 있지(사계절)

해가 거듭해도 계절은 반복되지
매일 해가 뜨고 바람이 부는 일이 있고
비에 잠기고 눈에 막히는 시기가 있지
무언가가 피었다가 져버리기도 하고
변하지 않을 굴레에 갇혔다 느끼기도 해

그렇지만
해가 거듭하면 세상도 새 옷을 입고
오늘 뜰 해를 오늘 불 바람을 기다리지
비에 잠기고 눈에 막히는 시기는 있어도
내가 피운 것들은 내 마음에 남아 절대 지지 않고
내가 맺은 열매들은 또 다른 씨앗을 퍼뜨리곤 해

담벼락의 낙서처럼 변하지 않을 것 같던
아이는 자라 어른이 되고
머물던 곳을 떠나기도 다시 돌아오기도 하지만
어디서 무엇 하든 너다웠으면
너로 살고 있다면
나는 응원할 테지